みたい！ しりたい！ しらべたい！

日本の 占い・まじない図鑑

❸ 現代の暮らしやあそびのなかの占い・まじない

監修 中町 泰子

ミネルヴァ書房

平成の占い森とまじない谷の歩き方

中町 泰子

1.パワー増強のまじない

現代のまじない、あなたはいくつやってみたことがあるでしょう。

パワーストーンは、開運効果をうたうカラフルな色の天然石です。あらゆる願いをかなえる透明な水晶や、恋愛運を高めるピンクのローズクォーツ、災いをさける濃紺のラピスラズリなど種類も形も多様です。パワーストーンは、目的別に選ぶとよいとされ、ブレスレット、ネックレスといったアクセサリーから自分の好みにあったものが選べるため、ファッショングッズとしても流行しています。

スポーツをする人には、鉱石が発するマイナスイオンなどが、筋肉の痛みをとり、身体能力をアップさせるとうたうスポーツアクセサリーがあります。パワーストーンとは別なもので、鉱石の粉末を練りこむなどしたブレスレットやネックレスです。スポーツアクセサリーやパワーストーンはみた目も魅力的につくられた現代的なおまもりといえます。

神社で授与する伝統的なおまもりは、かつては種類が少ないものでしたが、現代で

パワーストーンのブレスレットとネックレス。(TOMOS提供)

は願いごと別に種類を増やし、デザインに凝ったおまもりを授与する神社も増えてきました。神社によっては、毎月1日だけ授与するおまもりもあり、格別な力があると信じる人びとが訪れます。

　まじないには、しぐさや行動で願望を成就させようとするものがあります。発表会や試験の前など、緊張する場面で成功させたいときは、手のひらに指で「人」と三度書いて飲みこむと効くといいます。物事をうまく運びたいときは、くつやくつしたをはくとき、シャツの袖に腕を通すとき、歩きはじめるときなど、なんでも右からはじめるとよく、勝負に勝ったときの服を着ると、つぎも勝つといいます。ゲーム絶ちやチョコ絶ちなど好きなものを絶って願掛けをする方法もあります。

埼玉県秩父市の三峯神社で毎月1日にだけ授与される白い「氣守」。(三峯神社提供)

　食べ物で縁起をかつぐまじないもあります。いくつものまじないの意味がこめられている伝統的なパワーフードといえばおせち料理です。黒豆は「年中まめ(まじめ、健康)にはたらけるように」、こんぶは「よろこぶことが多くあるように」、栗きんとんは「財運がよくなるように」、れんこんは「先の見通しがよくて幸先がよいように」、エビは「腰が曲がるまで丈夫に暮らせるように」との願いが込められています。

　勝負の前にはカツ丼や鰹節、キットカット(「きっと勝つと(勝つよ)」のことばと似ているため)、赤い色の食べ物がよいとされます。勝ち負けのあることにのぞむには、日ごろの練習や勉強に励んだ上でまじないをおこないます。やれることはすべてやったので大丈夫という安心感、達成感をもつと自信につながり、勝負強くなるといいます。現実的な努力とともにまじないの力が相乗効果を発揮して、高いハードルが超えられるかもしれません。やってみない手はありません。

　わたしたちがまじないを信じる限り、伝統的なまじないと並行して、新しいパワー増強のまじないがうまれてくるのはまちがいないでしょう。

2.移動する占い師たち

世情が不安定になると占いが流行するといわれますが、歴史のなかではいつの時代でも、占いを支持する人びとがいました。明治維新により、政府は占いやまじないを、庶民を惑わせるものとして禁止しましたが、人びとの占いへの熱は冷めずに、さまざまな占いの本が出版されました。西洋から入ってきた占い「こっくりさん」（→p24）も、明治20（1887）年ごろにブームを迎えます。昭和初期の世界恐慌に日本が巻きこまれたときには、手相や姓名判断の占いの本が人気となり、占いが社会的ブームになっていきました。日本政府は国民の精神への占いの影響を重くみていたのでしょう、第二次世界大戦中は占いの本が発売禁止になりました。

戦後は、日本が復興し、経済成長を遂げていく過程で、占いはそれまでよりもオープンになっていきます。1960年代後半からは、東京・新宿の複数のデパートで、新年の占いイベントが開催され、占いコーナーが常設されました。1970年ごろには占い学校もできました。

これまでに占い師をみかけたことはありますか？　昭和の時代まで、人相占いや易

占をする易者はまちの一角でしばしばみられました。易者は占い館など決まった屋内で占うか、人通りの多くてにぎやかなまちかどに、白い布をかけた小さなつくえを出し、客が来るのを座って待っていたものでした。路上の商売人には縄張り、しきたりがあり、かつての易者はそれに従っていたはずですが、現代の占い師は活動の場を拡大し、自由度が高くなっているところに大きな変化があります。

平成の占い師は神出鬼没です。易者に限らず、タロット占い、星占いなどさまざまな占い師が、デパートなどの占いスペースはもちろん、スーパー銭湯や住宅展示場、

たくさんの人びとでにぎわう横浜中華街の占いの店。
(2016年、中町泰子撮影)

家電量販店、カラオケ店などの「出張占いコーナー」によばれてやってきます。こうした占い師は、イベントを盛りあげるタレントのような存在ですが、占いに興味のある人にとっては、敷居が低い場所で、用事がてら気軽に鑑定を受けられるメリットがあります。

例えば住宅展示場では、新しい家の風水を相談したい人がやってきます。商業施設では、「3000円以上買い物すると占い無料」などの宣伝文句で売り上げを伸ばす店もあります。占いがプレゼントやサービスになっている仕組みです。派遣されるだけでなく、占い師もネットを駆使して宣伝し、

予約が入るとパワーストーンの店やカフェなどに出張し、ネット予約の客を占うこともめずらしくありません。

現代では、占い師が過去にはあらわれなかった場所につぎつぎ進出し、占いの現場が増加しています。あなたがファストフード店でハンバーガーを食べているとき、隣で向きあっているふたり組が、占い師と客であるかもしれないのです。

3.占い森とまじない谷の道しるべ

その気になれば現代ほど、かんたんにたくさんの占いを試すことができ、また占い鑑定を受けられるようになった時代はありません。自分でできる占いの本や占い特集の雑誌は以前からありましたが、なんといってもインターネットを利用した占いが普及したおかげで、家にいながらにして占いができる環境に変化させました。星占いにタロット占い、血液型占い、易占、おみくじなど、現代のインターネット上には占いがあふれています。

しかし、占い師や占いサイトは、広くて深い占いの森とまじないの谷の入り口ともいえます。ここでは、ふたつの道しるべを紹介します。

ひとつめは「占いやまじないに頼りすぎず、ぴたりと当たるにはまりすぎない」です。占いをするときは、どちらを選ぶか迷うときや、気になる人の気持ち、未来を知りたいなどといったときが多いかもしれません。自分の状況にぴたりと当たる結果が出ると、どうしてわかるのかと不思議に思うでしょう。占いを学ぶと、今までとは違うルールで自分をとりまく世界を捉えられるようになり、他人のことも前よりわかった気になることがあります。単純に楽しくなってつぎつぎ占う人もいるかもしれませんが、苦しいときの自分をいい当てる占いに引きこまれ、占いに頼りすぎる人も出てくる可能性があります。

占いはときにわたしたちを励まし、新しい視野をさずけて目を開かせてくれます。しかし忘れてはならないことは、人生の行き先を決めるのは、自分自身しかいないということです。この先、よく当たる占いや占い師に出会うことがあっても、行動の鍵は必ず自分自身が握っています。占いのことばから、動く、動かないを決めるのは自分の自由です。仮に占いを信じて行動し、事態が好転したとしても、占いに背中を押されたとはいえ、自分自身が決めたことで

す。まじないも同様で、常にいくつもそれをしないと、不安になるようではとらわれ過ぎです。ときには占いやまじないの助けが欲しいことも、難しい状況に立つこともあるかもしれませんが、それらに自分の心と生活をゆだねきると自分で判断する力が弱くなってしまいます。

ふたつめは「危険な占いには近づかない」です。現代はパソコンやスマートフォンから、だれでも占いにアクセスできる時代になりました。それらのなかには、最初は無料とうたいながら、さらに詳しい占いをするにはお金を要求するものや、占いの結果を知らせるメールアドレスを入力するよう要求するサイトもあります。しかし、アドレスを教えると有料鑑定の押し売りメールが来ることもあります。占いをするのに必要だからとうながされても、個人情報はむやみに教えないのが一番です。

占いやまじないは、よい方向にも、悪い方向にも人の心を動かします。自分のなかに、勇気と困難を乗りこえる知恵があることを信じて、ちょうどよい距離感で占いとまじないを活用していけるように、自分自身で考えて、判断する力を養うことも大切です。

もくじ

平成の占い森とまじない谷の歩き方　中町 泰子 …… 2

現代日本でおこなわれている占い …………………… 8

運勢や相性を予測する占い …………………………… 12

もっと知りたい 新しくうまれる占い ……………… 14

神社や寺で占うおみくじ ……………………………… 16

気軽にできる日常の占い ……………………………… 20

さまざまな願いをこめたまじない …………………… 22

自分でできる占い・まじない ………………………… 24

もっと知りたい 全国の寺社でおこなわれるまじない …… 28

さくいん ………………………………………………… 30

図鑑の見方

この本では、現代の暮らしやあそびのなかの占い・まじないを紹介しています。

☆見出し

☆解説

☆占い・まじないをおこなうときの
資料や、つかう道具の写真

☆関連する情報

もっと知りたい
よりくわしい内容や関連する
事がらを紹介しています。

現代日本でおこなわれている占い

現代の日本では、古くから東洋でおこなわれてきた占いに加えて、西洋から伝わった占い、新しくうまれる占い、それらを組みあわせた占いなど、数えきれないほど多くの占いがおこなわれています。

◆ 東洋の占い ◆

占いの分類

日本で古くからおこなわれてきた占いは、中国から伝わってきたものが多くあります。

中国では、運命をみる方法を「命・卜・相・医・山」という5つの種類に分類し、「五術」とよんでいます。ただ、医や山は現在の運命をよくしていくための術であり、現在おこなわれている占いは命・卜・相のいずれかにあたります。

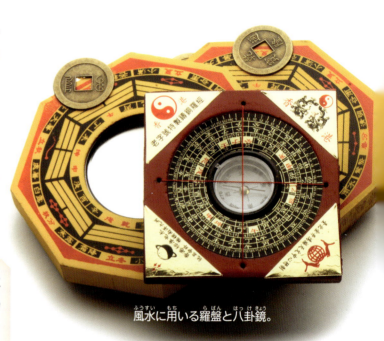
風水に用いる羅盤と八卦鏡。

五術とは

命
うまれた年・月・日・時間をもとに、個人の性格や運命などを占う方法。
▶四柱推命、九星気学、紫微斗数など

卜
偶然にあらわれた形や数字から、吉凶や物事の未来を占う方法。
▶太占、亀卜、粥占、易占、辻占など

医
脈や顔色などから、からだの状態をみて、病気の原因をさぐって治療をほどこすこと。
▶鍼灸、漢方、整体術など

相
顔や手のしわなどのみた目から、その人の状態や運勢を占う方法。
▶人相占い、手相占い、姓名判断、家相、風水など

山
心身をきたえることで、健康・長寿を実現するなど、運命をよい方向へむけること。
▶気功、呼吸法、武道など

東洋の命の占い

　東洋の命の占いは、陰陽五行思想（→1巻p13）と干支（十干十二支）が土台となっています。六十干支は古く中国から伝わり、十干（甲、乙、丙、丁、戊、己、庚、辛、壬、癸）と十二支（子、丑、寅、卯、辰、巳、午、未、申、酉、戌、亥）を組みあわせて、数字のかわりに長い年数、日数をあらわすためにつかわれてきました。

　よく知られている四柱推命は、うまれた年・月・日・時間の4つの項目を干支であらわし、人の性格や能力、人生の吉凶、これからの運命を読みとく占いです。また、生年月日や時間にもとづく占いには紫微斗数もあります。

　現在でも、中国や台湾、韓国などでは四柱推命や紫微斗数が人気ですが、日本では九星気学がよく知られています。うまれた年と月からそれぞれの星をみちびきだし、その組みあわせで性格や吉凶、運勢を占います。

☯ 六十干支表

1 きのえね 甲子	2 きのとうし 乙丑	3 ひのえとら 丙寅	4 ひのとう 丁卯	5 つちのえたつ 戊辰	6 つちのとみ 己巳
7 かのえうま 庚午	8 かのとひつじ 辛未	9 みずのえさる 壬申	10 みずのととり 癸酉	11 きのえいぬ 甲戌	12 きのとい 乙亥
13 ひのえね 丙子	14 ひのとうし 丁丑	15 つちのえとら 戊寅	16 つちのとう 己卯	17 かのえたつ 庚辰	18 かのとみ 辛巳
19 みずのえうま 壬午	20 みずのとひつじ 癸未	21 きのえさる 甲申	22 きのととり 乙酉	23 ひのえいぬ 丙戌	24 ひのとい 丁亥
25 つちのえね 戊子	26 つちのとうし 己丑	27 かのえとら 庚寅	28 かのとう 辛卯	29 みずのえたつ 壬辰	30 みずのとみ 癸巳
31 きのえうま 甲午	32 きのとひつじ 乙未	33 ひのえさる 丙申	34 ひのととり 丁酉	35 つちのえいぬ 戊戌	36 つちのとい 己亥
37 かのえね 庚子	38 かのとうし 辛丑	39 みずのえとら 壬寅	40 みずのとう 癸卯	41 きのえたつ 甲辰	42 きのとみ 乙巳
43 ひのえうま 丙午	44 ひのとひつじ 丁未	45 つちのえさる 戊申	46 つちのととり 己酉	47 かのえいぬ 庚戌	48 かのとい 辛亥
49 みずのえね 壬子	50 みずのとうし 癸丑	51 きのえとら 甲寅	52 きのとう 乙卯	53 ひのえたつ 丙辰	54 ひのとみ 丁巳
55 つちのえうま 戊午	56 つちのとひつじ 己未	57 かのえさる 庚申	58 かのととり 辛酉	59 みずのえいぬ 壬戌	60 みずのとい 癸亥

表の最後、癸亥のつぎは最初の甲子に戻ってくりかえす。60年で干支が一回りするため、60歳になることを還暦を迎えるという。

東洋の卜の占いと相の占い

　「卜」の占いでは、具体的な問題や悩みについて念じながら、物事の吉凶や未来などを占います。日本で古代からおこなわれていた太占（→1巻p8）や亀卜（→1巻p12）のほか、粥占（→1巻p24）や易占（→2巻p20）、辻占（→2巻p22）、おみくじなど、数多くのさまざまな占いがあります。

　いっぽう、人相占い（→2巻p25）や手相占い、夢占（→2巻p26）などの「相」の占いでは、顔の形や手のしわ、名前の文字、家のつくりなどのみた目に、現在の運勢があらわれていると考えます。命の占いがうまれもった運命を知る手段であるのに対し、相の占いは過去から現在、そして未来へと、つぎつぎにかわっていく運気を知る手段です。

五行の関係

　十干十二支や九星は、それぞれが決まった五行の性質をもつとされます。生年月日からみちびきだされた十干十二支や九星がその人の性質や運命をあらわし、相生・相克の関係が人間関係の相性などをあらわすと考えられ、占いに応用されています。

→ 相生：一方がもう一方を強める関係。
→ 相克：一方がもう一方を弱める関係。

◆◆ 西洋の占い ◆◆

西洋の命の占い

　西洋の命の占いとしてもっとも知られているのが、西洋占星術です。これは、太陽や月、惑星、星座が、その人がうまれたときに空のどの位置にあったかをしめすホロスコープ（天体配置図）をつくり、それにもとづいてその人のうまれもった性格や未来のできごとなどを占うものです。

　西洋占星術の基礎は、メソポタミア文明＊でつくられたとされます。西洋での占いも、古代日本でおこなわれた占いと同じように、はじめは国王などの権力者が政治をおこなったり、自然災害を予測したりするために用いられました。科学技術が発達するにつれて、天体を観測して自然現象の法則を発見する天文学と、天体の動きをもとに占いをおこなう占星術とは、はっきりとわかれていきました。占星術を否定する人たちもいましたが、16世紀には権力者や貴族たちのあいだで大流行し、19世紀以降に現在のようなかたちになりました。

　また、数秘術も命の占いです。生年月日や名前などから1から9までのいずれかの数字をみちびきだし、その数字のもつ意味から占いをおこないます。古代ギリシャの数学者・ピタゴラスがはじめたとされますが、占星術やユダヤ教のカバラ思想と結びつき、現在のかたちに発展しました。

西洋の卜の占い

　西洋の卜の占いとしては、タロット占いや水晶占いなどがあります。タロット占いは、さまざまな絵が描かれたカードをつかっておこなう占いです。78枚のカードのうち、人物や物が描かれた22枚は「大アルカナ」、のこりの56枚は「小アルカナ」とよばれます。カードはそれぞれ意味をもっており、同じカードでも上下が正しい「正位置」と、上下がさかさまになっている「逆位置」とで意味がことなります。

　水晶占いは「スクライング」とよばれる占い方法で、透明な球形の水晶のほか、ガラスや水、黒曜石などでもおこなわれます。水晶などをじっとみつめることで、なんらかの視覚イメージをよびおこし、それをもとに占いをおこないます。

＊ほぼ現在のイラクにあたる、チグリス川とユーフラテス川にはさまれた地域におこった文明。世界最古の文明のひとつといわれる。

☯大アルカナの意味

タロット占いの方法はいくつもあり、大アルカナだけをつかうことも多い。小アルカナは、現在のトランプのもとになったともいわれる。

THE MAGICIAN.

魔術師

正位置
独創性・知恵・技術

逆位置
意志が弱い・優柔不断・能力不足

WHEEL of FORTUNE.

運命の輪

正位置
幸運・運命の好転・チャンス

逆位置
不運・失敗・チャンスをのがす

THE DEVIL.

悪魔

正位置
わがまま・誘惑・束縛

逆位置
解放・克服・好転のきざし

THE TOWER.

塔

正位置
変化・損失・破局

逆位置
誤解・緊迫・再開

THE SUN.

太陽

正位置
成功・愛情・健康

逆位置
不満・不幸・失敗

THE WORLD.

世界

正位置
完成・到着・成功

逆位置
未完成・失敗・不完全

西洋の相の占い

西洋でも人相・手相占いや夢占といった相の占いはおこなわれていますが、それぞれ東洋の占いとはことなる発展の仕方をしてきました。

人相占いは古代ギリシャで、手相占いは古代インドではじまったとされます。それぞれ個人の性格や適性、未来などを占う手段として発展しましたが、現代では病気や知能との関連が研究されるなど、新しい学問分野ともなっています。現在日本でおこなわれている手相占いは、西洋手相術をもとにして独自に発展したものです。

また、西洋でさかんに研究されたのが夢に関することです。メソポタミア文明の時代から夢は非常に重要なものととらえられ、神さまや精霊のメッセージであるとされました。科学の発達にともなってさまざまな研究がおこなわれましたが、1900年、オーストリアの医学者であるフロイトが、夢を精神分析の手段とする「夢判断」をうみだしました。現代では、睡眠中の脳波を測定するなど、より科学的な研究もおこなわれています。

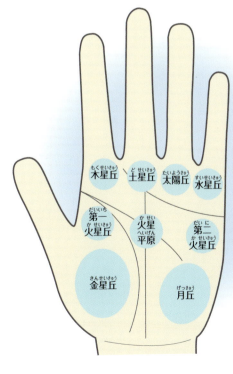

木星丘　土星丘　太陽丘　水星丘
第一火星丘　火星平原　第二火星丘
金星丘　月丘

西洋の手相占いでは、手のひらのふくらみを「丘」、平らなところを「平原」としている。占星術の影響で、それぞれの丘や平原には惑星の名前がつけられている。

運勢や相性を予測する占い

占いは、悩みや問題をかかえているとき、未来を予測したいときなどにおこなわれますが、なかでも人気が高いのが運勢や相性の占いです。手軽に楽しめるものが多いのも特徴です。

宿世結び

旧暦の月名では、10月のことを「神無月」といいます。これは、日本全国にいるたくさんの神さまたちが、島根県にある出雲大社で開かれる会議に出かけ、地元を不在にすることからきているとされます。この会議では、来年1年間の天気や農作物のできなどについて話しあわれますが、もっとも重要な議題が「縁結び」です。古代から、男女の縁は人びとの大きな関心ごとでした。

この縁結びに似たもので、江戸時代、女性たちのあいだで「宿世結び」という占いが流行しました。1枚の紙にひとりずつ名前を書いてみえないようにこよりをつくり、男女にわけたこよりを1本ずつ結びあわせて、だれとだれの縁が結ばれるかを楽しむあそびです。縁結びに関する占いは、今も昔も女性から高い人気があります。

出雲大社に集まった神さまたちの縁結びのようす。木の札に男女の名前を書き相談して組みあわせを決めたあと、札を結びつけている。(『出雲国大社之図』、島根県立古代歴史博物館所蔵)

12星座占い

　現在の日本でもっともよくみられる身近な占いは12星座占いでしょう。生年月日を12星座に区分し、運勢や相性を占うもので、西洋占星術をかんたんにしたものといえます。地球は太陽のまわりを１年かけて回っていますが、地球からみると空のある一定の道すじを太陽が通っているようにみえます。この道のことを「黄道」といい、黄道上にある12星座のうち、うまれた日に太陽がある星座が自分の星座になります。

　12星座はそれぞれ基本的な性格をもっています。また、火・地・風・水の４つのエレメント（要素）にわけられ、同じエレメントの星座とは共通した性質をもっています。これらの性格からは、星座どうしの相性が占われます。

☯4つのエレメントの特徴

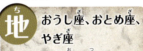

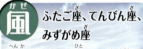

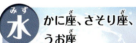

血液型占い

　日本でおこなわれている占いで特徴的なのが、血液型占いです。血液型をもとに、その人の基本的な性格や人との相性を占います。血液型と人間の性格を結びつける考え方は、日本ではじまったものです。昭和初期、教育心理学者の古川竹二が血液型と性格の研究をおこない、大きく注目されました。しかし、その後の研究により、血液型と性格との関連に科学的な根拠はないとされました。

　それでも血液型占いが当たっているような気がするのは、もともと占いが「思いやりがある」「責任感がある」など、だれにでも多少は当てはまるようなあいまいなことばをつかっていることが理由のひとつにあげられます。また、占いをみる人は、「はずれていること」よりも「当たっていること」をみつけようとする傾向があります。

☯血液型の基本性格

A型 責任感が強い、きちょうめん、気配りじょうず、協調性がある。	**O型** おおらか、人づきあいがじょうず、義理人情にあつい、実行力がある。
B型 明るい、行動力がある、独創的、なんでも一生懸命に取りくむ。	**AB型** 頭の回転が早い、発想が斬新、器用、冷静な判断ができる。

☯12星座一覧

おひつじ座
3月21日〜4月19日

おうし座
4月20日〜5月20日

ふたご座
5月21日〜6月21日

かに座
6月22日〜7月22日

しし座
7月23日〜8月22日

おとめ座
8月23日〜9月22日

てんびん座
9月23日〜10月23日

さそり座
10月24日〜11月22日

いて座
11月23日〜12月21日

やぎ座
12月22日〜1月19日

みずがめ座
1月20日〜2月18日

うお座
2月19日〜3月20日

新しくうまれる占い

現代日本で人気のある占いのなかには、最近になってできた新しい占いもあります。伝統的な占いを現代風にわかりやすくしたもの、いくつかの占いを組みあわせたものなど、個人で気軽に楽しめるようになっています。

大流行した動物占い

　動物占いは、占い方が複雑な四柱推命（→p9）を現代風にアレンジし、12の動物のキャラクターをつかってわかりやすくあらわした占いです。生年月日から自分の「動物」をわりだし、基本的な性格や人との相性などを占います。1999年ごろにうまれた動物占いは、登場とともに大流行しました。現在では、12の動物のキャラクターを60パターンにわけた動物占いがうまれています。

複数の要素でおこなう占い

　日本でなじみのある血液型占いは、手軽に占えることが魅力です。しかし、血液型にはA型・B型・O型・AB型の4種類しかないため、占いの結果も単純なものになってしまいます。最近では、12星座や、兄弟姉妹の構成など、ほかの要素と血液型占いを組みあわせた占いが登場しています。どれも基本的な性格や相性のよさなどを占う程度の気軽なものですが、占いを楽しみたい人に人気となっています。

「自分のなかには5つの動物キャラクターがいる」という進化形の動物占いを紹介している本。
『自分まるわかりの動物占い5アニマル』（小学館文庫）
動物占い5アニマルプロジェクト・編　イラスト・玖保キリコ

A型
おひつじ座

B型
てんびん座

相性は…
？
◆ ％

パソコンでできる占い

　現代は、占いの世界でもパソコンは大活躍しています。よく当たるといわれる四柱推命や西洋占星術は、複雑な計算をしたりホロスコープをつくったりしたうえで、それを読みといて解釈をしなければならないため、専門知識をもったプロの占い師がかなりの時間をかけないとおこなえない占いです。しかし、複雑な計算や正確なホロスコープづくりなどを瞬時におこなってくれるパソコンソフトが登場しているため、パソコンを活用している占い師はそれを読みとく作業に専念することができるようになっています。

　インターネット上には、一般の人びとが自分で気軽におこなえる占いが無数にあります。今まではプロの占い師にみてもらうしかなかった複雑な占いも、基本的な性格やかんたんな相性の占いくらいであればインターネット上でおこなえるようになっています。また、占い師にみてもらうには店などに行く必要がありました

が、現在ではメールなどを活用して、自宅にいながら有名な占い師にみてもらうことが可能になっています。ほかにも、心理テストのようにいくつかの質問に答える形式の占いも登場しています。

キッズgooのサイトでは、タロット占いで「今日の勉強運」や「今日の恋愛運」を占うことができる。

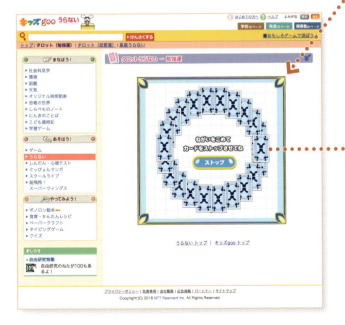

神社や寺で占うおみくじ

神社や寺などにおまいりに行ったとき、多くの人がおみくじを引いています。おみくじは古くからあり、神さまや仏さまからのお告げを受ける占いとして、根強い人気をほこっています。

短冊をつけた弓をもつ、歌占の男巫（右）。
（『伊勢参宮名所図会』、国立国会図書館所蔵）

古代からあった「くじ」

紙や木などに記号やことばを記し、いくつものなかからひとつを選びとって物事の吉凶を判断したり、なにかを決めたりする「くじ」は、卜の占いの一種です。占いが国の将来を左右する大きな役割をもっていた古代日本では、飛鳥時代ごろから、くじによる占いがおこなわれていたと考えられます。鎌倉時代に近づくと、神社や寺でくじを引き、神仏のお告げを受けようとする信仰もはじまりました。

歌占とおみくじ

平安時代ごろ、占いをおこなったり神さまをよびおろしたりする巫女は、神さまのお告げを和歌で伝えることが一般的になりました。これを「歌占」といいます。室町時代には、前もって用意しておいたいくつかの和歌などからひとつを選びとり、そのことばや意味によって占うという、くじのような歌占がうまれました。現在、神社などのおみくじで和歌が書かれているものは、この歌占の形式を受けついだものです。

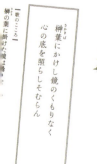

東京都板橋区の天祖神社では、和歌で占う「歌占」がおこなわれている。弓に結ばれた神さまの名前が書かれた短冊を選び、その神にちなんだ和歌がのっているおみくじを受けとる。（天祖神社提供）

元三大師みくじの流行

現在、神社や寺にあるような形式のおみくじが登場したのは、江戸時代だとされています。おみくじの原型は、中国でうまれた「天竺霊籤」というくじです。天竺霊籤には、漢詩とその解説などが書かれていました。それが日本に伝わったのち、江戸時代に「元三大師みくじ」という名前でもてはやされるようになりました。

元三大師*というのは、平安時代中期に天台座主（天台宗の最高位）として活躍した僧侶です。江戸時代初期、観音さまの化身がつくったとされる天竺霊籤と、「観音さまの化身」という伝説をもつ元三大師が結びつき、民間へ広まっていったとされます。

＊生前の名前「良源」や死後に朝廷からおくられた名前「慈恵大師」のほか、「角大師」「豆大師」などの名前でも親しまれている。

滋賀県にある天台宗の総本山、比叡山延暦寺の横川地区にある元三大師堂には、「おみくじ発祥之地」と「元三大師と角大師の由来」の石碑が立っている。鬼に化けて疫病神を追いはらったという伝説から、角大師の護符は魔除け・厄除けのご利益があるとして、人びとから信仰されている。

元三大師みくじの仕組み

元三大師みくじでは、たくさんの竹や木の棒を入れたつつ型の箱をふり、ふたに開けられた小さな穴から1本の棒を出します。棒には1番から100番までのいずれかの番号と吉凶が書いてあり、書かれている番号のおみくじをみて運勢を知ります。おみくじには、漢詩とその解説、そして「願望」「仕事」「待ち人」「失せもの」「縁談」などといった個別の運勢が書いてあります。

最初は、箱をふって棒をふりだすのは僧侶の役目でした。また、出たおみくじの解説も僧侶がおこなっていました。おみくじは占いであり、宗教的な力をもった人がおこなうものだったのです。時代が進むと、おみくじを引きたい人が自分で箱をふり、運勢を知ることができるようになっていきました。

浅草寺の元三大師みくじ。おみくじは比叡山延暦寺の元三大師によって日本に広く普及されたとされ、浅草寺にも伝えられた。

みくじ本の出版

「観音みくじ」ともよばれた元三大師みくじが広く流行すると、みくじ箱をつくるための設計図とおみくじの内容をすべてのせた「元三大師みくじ本」が出版されました。箱をふってみくじ棒を引いた僧侶は、その本をみながら運勢の解説をしました。おみくじを自分で引くようになると、一般むけのみくじ本も出版されるようになり、自分で本をみて運勢を調べられるようになりました。おみくじの内容がわかりやすいさし絵入りのものや、おまいりのときにもっていくのに便利な小型の本が数多く登場しました。

また、おみくじについてのページもそなえた大雑書（→2巻p24）もあらわれました。『天保新選永代大雑書萬暦大成』には、1番から100番までのおみくじの内容と、みくじ箱の設計図がのっています。木にしたがって自分でみくじ箱をつくれば、寺におまいりをしなくても自宅で元三大師みくじを引けるようになっていたのです。

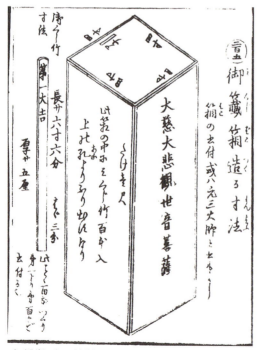

「御籤箱造る寸法」として、みくじ箱の設計図が記された『天保新選永代大雑書萬暦大成』。

現代のいろいろなおみくじ

現在の元三大師みくじは、みくじ箱から番号をふりだしたあと、その番号のみくじ紙を各自がもらえるようになっています。また、おりたたまれたみくじ紙を箱などのなかにたくさん入れておき、そのなかから1枚を選びとる形式のおみくじもよくみられます。

近年では、神社や寺にゆかりのある動物などの人形のなかに入っているものや、お金を入れるとからくり人形がおみくじをもってくる自動販売機もあります。

☆帯占い

和紙のテトラパックから4本の赤い紐が出ている。2本ずつ結び、引きだしたときに全部つながってひとつの輪になっていたら「願いがかなう」、つながったふたつの輪だったら「半ばかなう」、別々のふたつの輪だったら「かんたんにはかなわない」。

茨城県鹿島市・鹿島神宮の「鹿島の帯占い」。（鹿島神宮提供）

☆源氏物語みくじ

源氏物語に登場する和歌と、恋愛運について書かれている。男性用は束帯、女性用は十二単をかたどっている。

京都市・下鴨神社（賀茂御祖神社）の「源氏物語みくじ」。（下鴨神社提供）

☆水占みくじ

「水占みくじ」は引いたときにはなにも書かれていないが、水につけると文字が浮かびあがってくる。

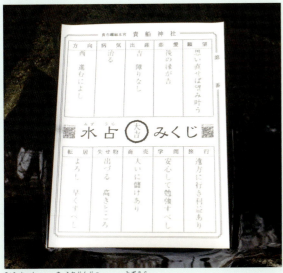

京都市・貴船神社の「水占みくじ」。

☆鹿みくじ

奈良の鹿は春日大社の神さまの使いといわれている。春日大社の「鹿みくじ」は、「一刀彫」の鹿がおみくじをくわえている。

奈良市・春日大社の「鹿みくじ」。

☆うさぎみくじ

宇治上神社がある宇治は古くは「うさぎの道」を意味する「菟道」といった。このため、宇治上神社ではうさぎのおみくじやおまもりがある。

京都府宇治市・宇治上神社の「うさぎみくじ」。

☆あい鯛みくじ

良縁成就の願いをこめた恋みくじ。おみくじは鯛の形をしていて、引くのではなく、釣りあげる。釣ったおみくじは、神社内に結びつけず、もちかえる。

埼玉県川越市・川越氷川神社の「あい鯛みくじ」。

気軽にできる日常の占い

おみくじ以外にも、一般の人びとが気軽に楽しめる占いがあります。売るための工夫として、また食べるときの楽しみとして、おみくじや辻占、当たりくじがついた商品などです。

食べながら楽しむ辻占菓子

占いつきの菓子としてよく知られているのは、辻占菓子です。煎餅や豆菓子、あめなどのなかに、辻占（→2巻p22・23）やおみくじの小さな紙が入っていて、ひとつずつ食べながら占いを楽しみます。

石川県の金沢市を中心とする加賀地方や長崎県の平戸市を中心とする北松地方では、現在も正月に辻占菓子を食べる風習が受けつがれています。

また、京都の伏見稲荷大社周辺には、辻占入りの手焼きの稲荷煎餅を売る店がいくつもあります。この辻占煎餅は鈴の形をしており、縁起のいいおみやげとして参拝客が買ってかえります。

アメリカの中華料理店で、食後のサービスとして出されるフォーチュンクッキーは、日本の辻占煎餅がもとになってうまれたものだといわれています。

石川県の加賀地方では、正月に家族でだんらんしながら「辻占」を食べ、出てきた内容について話しながらすごす。（越原甘清堂提供）

鈴の形をした辻占煎餅。古くから伏見稲荷大社のおみやげとして有名だった、土鈴をモチーフにしている。（宝玉堂「辻占煎餅」、中町泰子撮影）

神奈川県の横浜中華街では、おみやげ用のフォーチュンクッキーが売られている。（重慶飯店提供）

手軽にできるおみくじ

　占いの専門知識をもっていない一般の人びとが日常生活で気軽に楽しめる占いとして、卓上のルーレット式おみくじ器があります。100円玉を入れてレバーを引くと、12星座占いのおみくじが出てきます。

　卓上のルーレット式おみくじ器は1970～1980年代に流行しました。喫茶店や食堂、居酒屋などのテーブルにおいてあり、食事のあいまに楽しめるようになっていました。当時とくらべると数は少なくなっていますが、現在でもおいている飲食店もあります。

ルーレット式おみくじ器に100円玉を入れてレバーを引くと、ルーレット（上）が回転しておみくじが出てくる。
（北多摩製作所提供）

占い・当たりくじつきの商品

　全国的に身近な例といえるのが、占いや当たりくじつきの食品です。棒にくじがついているアイスキャンディ、つつみ紙のなかに小さなくじが入っているガム、個別包装のふくろの一部分が黒くぬりつぶされていて、その裏側がくじになっているあめなど、とくに駄菓子によくみられます。

　また、当たりくじつきの飲み物の自動販売機もみられます。これは商品自体にくじがついているのではなく、商品を買うときに機械が当たりかどうかを判定するものです。当たった場合は、その場で好きな商品を選んでボタンをおせば、お金を入れずにもう1本もらえます。

カップの底に「くまちゃん占い」がついている冷凍食品「えびとチーズのグラタン」。
（マルハニチロ株式会社提供）

おみくじつきの「うらないっこフーセンガム」。
（江崎グリコ株式会社提供）

さまざまな願いをこめたまじない

かなえたい願いごとがあるとき、自分で努力することはもちろんですが、ふしぎな力に頼りたくなるのも人間の心理です。神さまや仏さまの力をかりたり、縁起のいいものに祈ったりと、願いごとにあわせてさまざまなまじないがあります。

神さまの加護を祈る授与品

お札や絵馬、おまもりなど、さまざまな願いをこめて神社や寺でさずけてもらうものを「授与品」といいます。

お札は、神さまや仏さまの名前やすがた、神さまをあらわすしるし、まじないのことばなどを記した紙や木の札です。家の門や玄関、柱、棚などにまつって、家や家族をまもってくれるように祈ります。

絵馬は、願いごとや願いごとをかなえてもらったお礼を書いて、神社や寺におさめるための木の板です。かつて神さまに祈願するときに生きている馬を奉納していたことから、かわりに馬の絵をかいた絵馬を奉納するようになったとされます。

おまもりは、お札をいつも身につけていられるようにしたもので、小さく平たいふくろ型のもの

が一般的です。学業成就、家内安全、交通安全、縁結び、厄除け、健康、子宝安産、武道やスポーツの上達など、願いごとにあわせてさまざまな種類のおまもりがあります。

福井県護国神社の「いろいろ大丈夫」という安心感をもたらす「大丈夫守」。
（福井県護国神社提供）

京都市の晴明神社の「厄除守」。古来から、桃は厄除けの果実といわれている。
（晴明神社提供）

岩手県盛岡市・盛岡八幡宮の馬の絵が描かれた絵馬。

北海道札幌市・西野神社の「球技守り」。野球、サッカー、テニスなど、さまざまな球技のおまもりがある。
（西野神社提供）

おきもので願いをかなえる

　飲食店や物を売る店など、客商売をしているところでは、入り口にまねき猫をかざっていることが多くあります。これは、まねき猫が「福や富をまねく」「人をまねく」として、商売繁盛のご利益があると信じられているからです。まねき猫のはじまりにはいくつかの説がありますが、江戸時代末期にできたものと考えられます。右手でまねいている猫はお金を、左手でまねいている猫は人（客）をまねくとされています。

　まねき猫以外にも、おいておくと幸福や金運をもたらすとされるものはいくつもあります。福助人形やだるま、エビス（恵比須）や大黒天、信楽焼のたぬきなどは、商売繁盛の願いをかなえてくれるおきものとして商店にかざられることが多くあります。また、子育てや病気ばらい、魔除け、家庭円満など、願いをかなえてくれるまじないとしての郷土色豊かなおきものが、全国のそれぞれの地域に伝わっています。

合格祈願の食品

　近年、志望校合格を願う受験生むけに、期間限定で合格祈願のパッケージにする食品がたくさん登場しています。受験生は小学生や中学生、高校生がおもとなるため、気軽に買ったり食べたり、わたしたりできるお菓子が中心となっています。

　その元祖ともいえるのは「キットカット」です。商品名が、九州の方言の「きっと勝つと（勝つよ）」と似ていることから、受験生に縁起がいいお菓子だとして広まったとされます。また、コアラは眠っていても木から落ちないことから、「コアラのマーチ」も受験に落ちないための縁起かつぎとして、受験生に人気となりました。

　合格祈願商品として特別パッケージをつくったのは、2001年の「ウカール」（カール）が最初だといわれています。現在では、商品名と縁起のいいことばをかけた商品や、「合格祈願」と入っている特別パッケージの商品など、いくつも発売されています。

まねき猫発祥の地という説がある、豪徳寺（東京都世田谷区）。境内の一角には、願いが成就したお礼として、たくさんの「招福猫児」が奉納されている。

自分でできる占い・まじない

子どもたちのあいだでは、かんたんにできる占いあそびが時代をこえて受けつがれています。また、幸運をよぶモチーフやまじないことばは、縁起をかつぐ日本人の日常生活にとけこんでいます。

天気の占い・まじない

　今日や明日の天気は、昔からだれもが気にしてきた関心ごとです。もっともかんたんで、子どもたちのあいだでもよく知られているのが「くつ占い」です。「あーしたてんきになーれ」といいながら、半分ぬぎかけた片足のくつをいきおいよく前へ飛ばし、落ちたくつの状態で翌日の天気を占います。表むきに落ちたら晴れ、裏むきに落ちたら雨、横むきに立ったらくもりです。「くつ飛ばし」ともよばれ、西洋のくつが一般に普及するまでは、げたでおこなわれていました。

　また、晴天を願うまじないとしては「てるてるぼうず」が知られています。白い布をまるめてひもでしばり、人形をつくって軒先につるします。中国では、ほうきをもった女性の紙人形「掃晴娘」をつくって晴れを祈る風習があり、これが日本に伝わったとされます。江戸時代には民間でてるてるぼうずがつくられていました。日本では僧侶が雨ごいをすることが多かったため、ぼうずすがたとなったようです。

大流行した占い「こっくりさん」

　「こっくりさん」は占いの一種で、現在ではきつねなどの動物の霊をよびだす行為と信じられています。まず、つくえの上に「はい・いいえ」や五十音などを書いた紙をおき、その上においた硬貨に参加者全員の指を軽くのせます。「こっくりさん、こっくりさん、おいでください」とよびかけ、硬貨が動いたらさまざまな質問をし、占いをします。終わったら「こっくりさん、おかえりください」といって霊をかえします。とちゅうでだれかが指をはなしたり、つかった紙や硬貨をずっともっていたりすると、よくないことがおこるとされます。

　こっくりさんは、欧米でおこなわれていた「テーブル・ターニング」がもととなったとされます。これは、数人でテーブルをかこんで手をのせていると、テーブルがひとりでに動きだし、質問の答えをかえすというものです。

テーブル・ターニングが伝えられた明治時代の日本では、まだ洋風のテーブルが普及していなかったため、3本の竹をたばねてしばった上に、めしびつ*のふたやおほんをのせておこなったようです。そのとき、手をおいてめしびつのふたが、こっくり、こっくりと動くことから「こっくりさん」という名前でよばれるようになったといわれます。

　1970年代には、日本の子どもたちのあいだでこっくりさんが大流行しました。霊ののろいやたたりといったおそろしい部分が強調され、恐怖心で参加者がパニックになるなど社会問題ともなりました。

　しかし、明治時代には、こっくりさんは外国からきたハイカラな占いとして、大人も夢中になるあそびだったようです。

＊たいたごはんを入れておく、ふたのついた深いたらいのようないれもの。

郵便はがき

6 0 7 - 8 7 9 0

料金受取人払郵便

山科局承認

1242

差出有効期間
平成29年7月
20日まで

（受　取　人）

京都市山科区
　　　日ノ岡堤谷町1番地

ミネルヴァ書房

読者アンケート係 行

|ıılıl·ıl·ıll·lııll·l·lıl·ılı·lıll·ıl·lııll·ılıll·lll|

◆ 以下のアンケートにお答え下さい。

お求めの
　書店名＿＿＿＿＿＿＿＿＿＿＿市区町村＿＿＿＿＿＿＿＿＿＿＿＿＿＿書店

＊ この本をどのようにしてお知りになりましたか？　以下の中から選び、3つま
　で○をお付け下さい。

　　A.広告（　　　　　　）を見て　B.店頭で見て　C.知人・友人の薦め
　　D.著者ファン　　　　E.図書館で借りて　　　　F.教科書として
　　G.ミネルヴァ書房図書目録　　　　　　H.ミネルヴァ通信
　　I.書評（　　　　　）をみて　　J.講演会など　K.テレビ・ラジオ
　　L.出版ダイジェスト　M.これから出る本　N.他の本を読んで
　　O.DM　P.ホームページ（　　　　　　　　　　　　）をみて
　　Q.書店の案内で　R.その他（　　　　　　　　　　　　　）

書 名　お買上の本のタイトルをご記入下さい。

◆上記の本に関するご感想、またはご意見・ご希望などをお書き下さい。
　文章を採用させていただいた方には図書カードを贈呈いたします。

◆よく読む分野（ご専門)について、3つまで○をお付け下さい。
　1. 哲学・思想　　2. 世界史　　3. 日本史　　4. 政治・法律
　5. 経済　　6. 経営　　7. 心理　　8. 教育　　9. 保育　　10. 社会福祉
　11. 社会　　12. 自然科学　　13. 文学・言語　　14. 評論・評伝
　15. 児童書　　16. 資格・実用　　17. その他（　　　　　　　　　）

〒 ご住所		
	Tel　　　（　　　）	
ふりがな お名前	年齢 歳	性別 男・女
ご職業・学校名 （所属・専門）		
Eメール		

ミネルヴァ書房ホームページ　　**http://www.minervashobo.co.jp/**
　　＊新刊案内（DM）不要の方は × を付けて下さい。　　　□

おり紙占い

おり紙をつかってかんたんにできる占いあそびです。下の図のようにおったものを手順❹ができたところまでひらき、8つにわかれたところに1から8までの数字や好きなイラストをかきます（右写真）。そして、その裏に大吉・吉・凶などの吉凶や、「雨がふる」「忘れ物をする」などの占い結果を書きいれ、もとの形にもどします。

左右の親指と人さし指を入れてもち、相手に数字をいってもらって、その回数だけたて・横交互にひらいたりとじたりします。最後にひらいたところにかいてある数字やイラストから好きなものを選んでもらい、選んだところの裏に書いてあることで占います。

おり方手順

〈基本の記号〉

➡ 矢印の方向におる ── おり目

↺ 裏がえす ‑‑‑‑ 谷おり

➡ ひらく

❶おり紙の対角線におり目をつける。

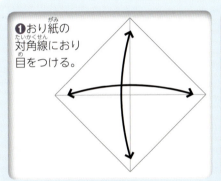

❷4つの角を中央にあわせるようにおる。

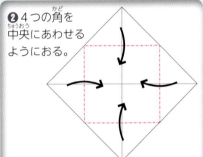

❸裏がえす。

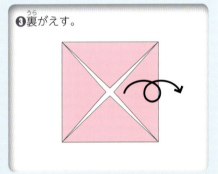

❹4つの角を中央にあわせるようにおる。

❺半分におる。

❻さらに半分におる。

❼ふくろ状になったところをひらいてつぶす。

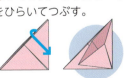

❽裏がえす。

❾同じようにひらいてつぶす。

⓫数字やイラスト、占い結果などを書いたら、できあがり。

❿4か所をひらいて左右の親指と人さし指を入れる。パクパクとたて・横にひらいたりとじたりできる。

信じるものはすくわれる

大きな病気になったり、災害にあったりといった大きな悩みでなくとも、日常的に少しこまったことや不安なことに出あう場面はたくさんあります。そういったとき、決められたまじないことばをとなえると、問題が解消されることがあります。また、そういうときのためのかんたんなまじないしぐさも伝わっています。

☯ こまったときのまじない

けがをしたとき
● 「ちちんぷいぷい、いたいのいたいの飛んでけ」ととなえながら、いたい場所をさする。

かみなりがなっておそろしいとき
● 「くわばらくわばら」ととなえる。

緊張したとき
● 手のひらに指で「人」という文字を3回書いて飲みこむふりをする。

しゃっくりがとまらないとき
● コップに水を入れ、自分から遠いほうのふちに口をつけて飲む。
● コップに水を入れ、上に箸を十文字におき、あいている4か所から飲む。
● ほかの人に「とうふの原料は?」と質問してもらい、「大豆」と答える。

手や足がしびれたとき
● 指の先につばをつけ、それを3回額につける。

これらのまじないは、どれも科学的な効果が証明されているものではありません。しかし、まじないをすることで本当に願いがかなうことはあります。これは、人間の心理によっておきる現象だとされます。まじないをすることによって不安がやわらぎ、さらに「まじないをしたから、こうなるはず」と信じることによって、そのとおりの結果が引きおこされるのです。

おなかがいたいとき
● 「いたくない、いたくない」ととなえながら、おなかを反時計回りにさする。
● 「わたしのおなかはやさしいおなか」ととなえながら、おなかを3回なでる。

授業中などにおなかがなりそうなとき
● おなかに指で「の」の字をかく。

なくした物を探すとき
● 「清水の音羽の滝に願かけて失せたる○○のなきにもあらず」(○○はそのときなくしたもの)ととなえながら探す。
● はさみをもって頭の横にかかげ、「はさみさん、はさみさん、○○はどこにありますか」とたずねる。
● 「にんにく、にんにく、……」とくりかえしとなえながら探す。
● 「ないないの神さま、○○をみつけてください」ととなえる。

幸運をもたらすモチーフ

　とくに悩みごとがあるわけでなくても、より幸福になりたい、より幸運にめぐまれたいという気持ちはだれでももっています。世界には、幸運をもたらしてくれるとされる物や図形、文字などがいくつもあります。それらはアクセサリーや小物、おきものなどのデザインとしてつかわれています。身につけたり、身近においておいたりすると、運気が上昇するとされます。

カエル
「無事かえる」「お金がかえる」として、交通安全や金運をもたらすとされる。

テントウムシ
みつけた人に幸運がおとずれるとされる。実物でなく、絵でもよいとされる。

蹄鉄
馬のひづめがすりへらないように足底にとりつける、金属などでできたもの。ひらいているほうを上にしてかざると幸運がたまり、下にしてかざると幸運をにがさないとされる。

星
幸せのとびらをひらき、幸福をよびこむとされる。魔除けの意味もある。

四つ葉のクローバー

みつけた人に幸運がおとずれるとされる。実物でなく、絵でもよいとされる。

鍵
幸福のとびらをあけるものとされる。

十字架
災いからまもってくれる力があるとされる。

王冠

権力をあらわす王冠は、幸運と成功をよびよせるとされる。

うさぎ
とびはねることから「飛躍」や運気上昇、子だくさんであることから子孫繁栄の意味をもつ。

ぶた
よく食べ、よく太り、子だくさんであることから、富と繁栄のシンボルとなっている。

羽
上昇や飛躍をあらわし、長所や能力を高めるとされる。

ハート
愛情や幸福を意味し、とくに恋愛運に効果があるとされる。

ふくろう
用心深くてかしこいことから、「福来朗（福がくる）」「不苦労（苦労がない）」「福老（幸せに年をとる）」として福をまねく鳥とされる。

リボン（結び目）
ものごとを結びつける役割があるため、人の縁を結ぶとされる。

ひょうたん
くびれのある独特のかたちから、邪気をすいこんでのがさないとされる。

全国の寺社でおこなわれるまじない

古来より、まじないの担い手は宗教者が中心となっていました。現代でも、神社や寺ではおはらいや祈祷といったまじないがおこなわれており、悩みをもった人びとが神さまや仏さまの力にあやかろうと寺社を訪れています。

厄除けと厄ばらい

現代の日本で大々的におこなわれているまじないといえば、厄除け・厄ばらいがあげられます。日本では、「厄年」の年齢になると事故や病気などの災難がふりかかりやすいとされています。陰陽道の考え方とされますが、いつからはじまった思想なのかは不明です。科学的な根拠も確かではありませんが、現在でも広く信じられています。

厄年は、男女でことなっています。一般的に、数え年[*1]で男性25歳・42歳・61歳、女性19歳・33歳・37歳[*2]が厄年とされます。この年は「本厄」とよばれ、その前の年を「前厄」、本厄のつぎの年を「後厄」といいます。また、男性42歳、女性33歳は「大厄」といわれ、もっとも注意すべき年齢だとされています。

この厄年に災いがおこらないようにするまじないが厄除け・厄ばらいです。神社や寺で祈祷やおはらいを受け、悪いことがおこらないように神仏に願うのです。全国には厄除け・厄ばらいの力が強いとされている寺社がいくつもあり、毎年多くの人が訪れています。

[*1] うまれたときを1歳とし、1月1日にひとつ年をとるとする年齢の数え方。

[*2] 地域や宗派によっては女性61歳も厄年とされる。

元三大師を祀っている佐野厄除大師（栃木県佐野市）。年初めの厄除祈願に、多くの人びとが参拝に訪れる。
（佐野厄除大師提供）

厄除観音法多山尊永寺（静岡県袋井市）の名物「厄除団子」。150年以上参拝客に親しまれている。
（厄除観音法多山尊永寺提供）

神社や寺のいろいろなまじない

　全国の神社や寺には、恋愛がうまくいったり病気がなおったりといったご利益のあるまじないが伝わっているところもあります。

　全国的に知られているのは「なで牛」信仰です。これは、牛の像をなでながら願いごとをするとかなうというものです。東京都文京区の牛天神北野神社の「ねがい牛」が発祥とされ、京都市の北野天満宮、福岡県太宰府市の太宰府天満宮など全国の天満宮＊や、宮城県塩竈市の鹽竈神社、東京都墨田区の牛嶋神社などになで牛があります。天満宮では、牛の頭をなでてから自分の頭をなでると頭がよくなるといわれ、受験生に人気があります。

＊菅原道真をまつっている神社。学業成就にご利益があるとされる。

北野天満宮のなで牛。自分のからだの悪いところをなでたあと、牛の像の同じところをなでると、自分の悪いところがなおるといわれている。牛の頭をなでると頭がよくなるといわれ、多くの受験生が訪れている。

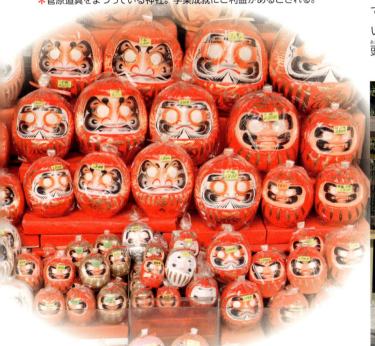

川崎大師（神奈川県川崎市）の縁起物の代表である「厄除・開運だるま」。厄除け・家内安全・商売繁盛などの縁起物として江戸時代から親しまれている。祈願のはじめに、男性は左目、女性は右目を書き入れ、願いがかなったときに、もう片方の目を入れる。

安井金毘羅堂（京都市）の「縁切り縁結び碑」。切りたい縁、結びたい縁のさまざまな願いごとが書かれた形代（身代わりのお札）が貼られ、碑がみえないほどになっている。

さくいん

あ行

あい鯛みくじ ……………………… 19
飛鳥時代 ……………………… 16
当たりくじ ……………………… 20、21
陰陽五行思想 ……………………… 9
うさぎ ……………………… 18、27
うさぎみくじ ……………………… 18
歌占 ……………………… 16
易占 ……………………… 8、9
江戸時代 ……… 12、17、23、24、29
エビス ……………………… 23
絵馬 ……………………… 22
縁起 ……………………… 20、22、23、24
縁結び ……………………… 12、22
王冠 ……………………… 27
帯占い ……………………… 18
お札 ……………………… 22
おまもり ……………………… 19、22
おみくじ ……… 9、16、17、18、19、20、21
おり紙占い ……………………… 25
陰陽道 ……………………… 28

か行

カエル ……………………… 27
鍵 ……………………… 27
家相 ……………………… 8
鎌倉時代 ……………………… 16
神さま ……… 11、12、16、19、22、26、28
粥占 ……………………… 8、9
韓国 ……………………… 9
元三大師 ……………………… 17、18、28
漢方 ……………………… 8

き行

気功 ……………………… 8
亀卜 ……………………… 8、9
九星気学 ……………………… 8、9
くつ占い ……………………… 24
血液型占い ……………………… 13、14
源氏物語みくじ ……………………… 18
呼吸法 ……………………… 8
五行 ……………………… 9
五術 ……………………… 8
こっくりさん ……………………… 24

さ行

鹿みくじ ……………………… 19
四柱推命 ……………………… 8、9、14、15
十干 ……………………… 9
十干十二支 ……………………… 9
紫微斗数 ……………………… 8、9
十字架 ……………………… 27
十二支 ……………………… 9
12星座占い ……………………… 13、21
小アルカナ ……………………… 10、11
鍼灸 ……………………… 8
水晶占い ……………………… 10
数秘術 ……………………… 10
宿世結び ……………………… 12
整体術 ……………………… 8
姓名判断 ……………………… 8
西洋占星術 ……………………… 10、13、15

た行

大アルカナ ……………………… 10、11
大黒天 ……………………… 23
台湾 ……………………… 9

だるま ‥‥‥‥‥‥‥‥‥‥‥‥‥‥‥ 23、29

タロット占(うらな)い ‥‥‥‥‥‥‥‥ 10、11、15

中国(ちゅうごく) ‥‥‥‥‥‥‥‥‥‥ 8、9、17、24

辻占(つじうら) ‥‥‥‥‥‥‥‥‥‥‥ 8、9、20

辻占菓子(つじうらがし) ‥‥‥‥‥‥‥‥‥‥‥‥ 20

蹄鉄(ていてつ) ‥‥‥‥‥‥‥‥‥‥‥‥‥‥ 27

テーブル・ターニング ‥‥‥‥‥‥‥‥‥ 24

手相占(てそううらな)い ‥‥‥‥‥‥‥‥‥‥ 8、9、11

てるてるぼうず ‥‥‥‥‥‥‥‥‥‥‥‥ 24

天気(てんき) ‥‥‥‥‥‥‥‥‥‥‥‥‥‥ 24

天竺霊籤(てんじくれいせん) ‥‥‥‥‥‥‥‥‥‥‥‥ 17

テントウムシ ‥‥‥‥‥‥‥‥‥‥‥‥ 27

動物占(どうぶつうらな)い ‥‥‥‥‥‥‥‥‥‥‥‥ 14

な行

人相占(にんそううらな)い ‥‥‥‥‥‥‥‥‥ 8、9、11

は行

ハート ‥‥‥‥‥‥‥‥‥‥‥‥‥‥‥ 27

羽(はね) ‥‥‥‥‥‥‥‥‥‥‥‥‥‥‥‥ 27

ひょうたん ‥‥‥‥‥‥‥‥‥‥‥‥‥ 27

風水(ふうすい) ‥‥‥‥‥‥‥‥‥‥‥‥‥‥ 8

フォーチュンクッキー ‥‥‥‥‥‥‥‥ 20

福助人形(ふくすけにんぎょう) ‥‥‥‥‥‥‥‥‥‥‥ 23

ふくろう ‥‥‥‥‥‥‥‥‥‥‥‥‥‥ 27

ぶた ‥‥‥‥‥‥‥‥‥‥‥‥‥‥‥‥ 27

武道(ぶどう) ‥‥‥‥‥‥‥‥‥‥‥‥‥‥‥ 8

太占(ふとまに) ‥‥‥‥‥‥‥‥‥‥‥‥‥‥ 8、9

平安時代(へいあんじだい) ‥‥‥‥‥‥‥‥‥‥ 16、17

星(ほし) ‥‥‥‥‥‥‥‥‥‥‥‥‥‥‥‥ 27

仏(ほとけ)さま ‥‥‥‥‥‥‥‥‥‥ 16、22、28

ま行

まねき猫(ねこ) ‥‥‥‥‥‥‥‥‥‥‥‥ 23

巫女(みこ) ‥‥‥‥‥‥‥‥‥‥‥‥‥‥‥ 16

水占(みずうら)みくじ ‥‥‥‥‥‥‥‥‥‥‥ 19

室町時代(むろまちじだい) ‥‥‥‥‥‥‥‥‥‥‥ 16

明治時代(めいじじだい) ‥‥‥‥‥‥‥‥‥‥‥ 24

や行

厄年(やくどし) ‥‥‥‥‥‥‥‥‥‥‥‥‥ 28

厄(やく)ばらい ‥‥‥‥‥‥‥‥‥‥‥‥‥ 28

厄除(やくよ)け ‥‥‥‥‥‥‥ 17、22、28、29

夢占(ゆめうら) ‥‥‥‥‥‥‥‥‥‥‥‥‥ 9、11

四(よ)つ葉(ば)のクローバー ‥‥‥‥‥‥ 27

ら行

リボン（結(むす)び目(め)） ‥‥‥‥‥‥‥‥ 27

ルーレット式(しき)おみくじ器(き) ‥‥‥‥ 21

わ行

和歌(わか) ‥‥‥‥‥‥‥‥‥‥‥‥ 16、18

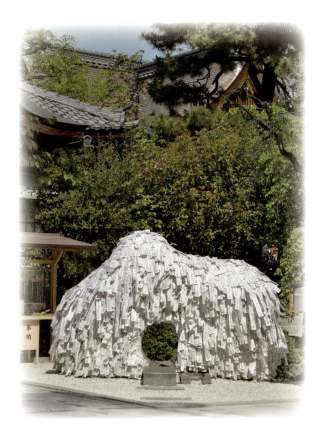

■監修・序文（2～6ページ）

中町　泰子（なかまち　やすこ）

1966年神奈川県生まれ。神奈川大学大学院歴史民俗資料学研究科博士後期課程修了。現在、神奈川大学日本常民文化研究所特別研究員、創価大学非常勤講師。日本民俗学会、日本生活文化史学会、風俗史学会会員。2015年に第6回日本生活文化史学会賞受賞。著書に『辻占の文化史―文字化の進展から見た呪術的心性と遊戯性』（ミネルヴァ書房）がある。占いや民間信仰、食文化に見える呪術性について研究をおこなっている。

■参考図書

『ちちんぷいぷい―「まじない」の民俗』
　著／神崎宣武　小学館　1999年
『占い大事典』著／浅野八郎　池田書店　1999年
『一番大吉！―おみくじのフォークロア』
　著／中村公一　大修館書店　1999年
『招き猫の文化誌』編／菊地真・日本招猫倶楽部
　勉誠出版　2001年
『図説世界占術大全―魔術から科学へ』著／アルバート・S・ライオンズ　監訳／鏡リュウジ　原書房　2002年
『東洋占術の本―運命と未来を見通す秘術の大系（New sight mook. Books esoterica；第31号）』　学習研究社　2003年
『元三大師御籤本の研究―おみくじを読み解く』
　著／大野出　思文閣出版　2009年
『日本のお守り―神さまとご利益がわかる』
　監修／畑野栄三　池田書店　2011年
『辻占の文化史―文字化の進展から見た呪術的心性と遊戯性』
　著／中町泰子　ミネルヴァ書房　2015年

■写真協力

表紙／鹿島の帯占い（鹿島神宮提供）
パワーストーン（TOMOS提供）
辻占（越原甘清堂提供）
フォーチュンクッキー（重慶飯店提供）
とびら／『出雲国大社之図』（島根県立古代出雲歴史博物館所蔵）
p8／風水羅盤・八卦鏡（© Comugnero Silvana - Fotolia.com）
p10／水晶（Kzenon / PIXTA）
p17／おみくじ発祥之地（skipinof / PIXTA）
p27／ぶた（© fotomaster - Fotolia.com）
うさぎ（© mizyuki86 - Fotolia.com）

この本の情報は、2016年10月までに調べたものです。今後変更になる可能性がありますので、ご了承ください。

編集・デザイン　　こどもくらぶ（長野絵莉・信太知美）
文（8～29ページ）　村上奈美
Ｄ　Ｔ　Ｐ　　　　株式会社エヌ・アンド・エス企画

みたい! しりたい! しらべたい! 日本の占い・まじない図鑑
③現代の暮らしやあそびのなかの占い・まじない

2016年12月30日　初版第1刷発行　　　　〈検印省略〉

定価はカバーに表示しています

監　修　者　中町泰子
発　行　者　杉田啓三
印　刷　者　金子眞吾

発行所　株式会社　ミネルヴァ書房
607-8494 京都市山科区日ノ岡堤谷町1
電話 075-581-5191／振替 01020-0-8076

みたい！ しりたい！ しらべたい！

日本の 占い・まじない図鑑

全3巻

監修 **中町 泰子**

27cm　32ページ　NDC387
オールカラー

‥‥‥‥‥‥‥‥‥‥‥‥‥‥‥‥‥‥

❶国を動かし危機をのりこえる占い・まじない
❷人びとの幸せをかなえる占い・まじない
❸現代の暮らしやあそびのなかの占い・まじない

「神さま」
「地獄・極楽」
「祭り」「都市伝説」
「学校の怪談」
シリーズも
おもしろいよ！

みたい！ しりたい！ しらべたい！
日本の神さま絵図鑑

①願いをかなえる神さま
②みぢかにいる神さま
③くらしを守る神さま

みたい！ しりたい！ しらべたい！
日本の地獄・極楽なんでも図鑑

①死んだらどこにいくの？
②地獄ってどんなところ？
③極楽ってどんなところ？

みたい！ しりたい！ しらべたい！
日本の祭り大図鑑

①病やわざわいをはらう祭り
②先祖とともにすごす祭り
③豊作・豊漁を願い感謝する祭り
④世のなかの平安を祈る祭り

みたい！ しりたい！ しらべたい！
日本の都市伝説絵図鑑

①現代の妖怪と都市伝説
②まちなかの都市伝説
③乗りものと都市伝説

みたい！ しりたい！ しらべたい！
日本の学校の怪談絵図鑑

①教室でおこる怪談
②学校やトイレにひそむ怪談
③学校の七不思議と妖怪